꿈꾸지 못하는 밤에
피어난 꽃

최 준 혁

꿈꾸지 못하는 밤에 피어난 꽃

발　행 | 2024년 07월 22일
저　자 | 최준혁
펴낸곳 | 주식회사 부크크
주　소 | 서울 금천구 가산디지털 1로 119, SK트윈타워 A동 305호
전　화 | 1670-8316
저자이메일 | chlwnsgur2001@naver.com
ISBN | 979-11-410-9615-1

21-70017155

꿈꾸지 못하는 밤에 피어난 꽃

최 준 혁

꿈꾸지 못하는 밤에 피어난 꽃

못다한 인사를 건넬까 합니다
부서진 햇살
후회 없이 꿈을 꾸었다 말해요
의미를 더해준다는 말
뜨거운 여름밤은 가고 남은 건 볼품없지만
나를 사랑했던 사람아
내가 사랑했던 모든 것들은 나를 눈물 짓게 할 테니까
슬픈 날의 어느 틈새에

5부 | 솟아올라 별이 된 건 아닐까

쏟아진 꽃향기를 따라
잠시 끝
여름의 끝자락에서
조금 더 나은 사람이 되어보려 합니다
별 하나를 더한다는 것
빈
그리움에 생각해보며
우리 오늘 만나
솟아올라 별이 된 풍선
식어감

시작하며

함께 울어준, 웃어준 사람에게 감사합니다.

큰 위로를 건네준 사람께 이제야 인사합니다.

22년 늦여름에 끄적이기 시작한 글이

24년 겨울, 꽤 많은 글이 되었습니다.

내게 남겨진 작은 것들을 모아 끄적여 봅니다.

2024년 1월

최 준 혁

1부

붉어진 두 눈에 보내는 위로

집에 가자

집에 가자
무엇을 그리도 잘못하였기에
이렇게 무거운 짐을 짊어지고
깊은 한숨을 뱉으며 벌을 받고 있는가
주름진 전투복 바지안으로
무거워진 다리를 힘겹게 집어넣으며
탄식과 함께 또 하루를 시작하였다
이제 개나리꽃이 만개했던
그 시절 그가 걷던 그 꽃길은
더 이상 예전 같은 향을 풍기지 못했다
무엇을 그리려 했던가,
아니 무엇을 그리워했던가.
청사진 속에 담겨있던 꿈은
한 장의 군사우편에,
청춘은 사형선고와 다를 바 없는
시한부의 삶을 살게 되었다
무엇을 갚기 위해 무던히도 노력했던가
꿈인가, 아니면 죄인가,
죄가 있다면 무엇이 죄였을까?
하루 세 번 음식을 삼키듯 목 끝까지

올라왔던 울음과 울분을 삼키는 것이
하루 중 가장 큰 일과가 되었다.
그 자리에서 무엇을 보았고
무엇을 먹었는가?
무엇을 듣고 무엇을 삼켰는가?
그 앞을 지나간 수많은 청춘의
슬픔 앞에서 울었는가, 웃었는가
아니면 그저 부러워
미소짓지도 못했는가.
만일 많은 시간이 지나
그의 청춘을 불태우며 머물던 곳에서
떠나야 할 날이 온다면
그는 과연 웃어보일 것인가,
아니면 목 놓아 하염없이 울 것인가
아니면 마지막마저도
그 불타버린 발자국을 돌아보며
지나간 청춘에 아무 말도
하지 못할 것인가,
더 이상 뜬 눈으로 차가운 새벽을
지새울 수 없기에 묻어둘 것인가.
수많은 시간 동안 버려진 시간을 보며
눈물로 밤의 모든 별을 세었고,
울분으로 나의 모든 낮을 칠했습니다.
고맙습니다. 그대여

그대의 짧은 청춘이 불타오른 만큼,
나쁜 기억에 절여져 있던 시간만큼
예쁜 꽃이 잔뜩 피어날 것 입니다.
짧았던 청춘의 그 순간은
내게 추억으로 남아 내 곁을 머무르고,
진흙 속에서 발버둥 치던 흉터 많은 손,
버려지기만 한 줄 알았던 시간 속에서도
별을 찾아 높게 손을 뻗으며
가볍게 웃어 보일 수 있는 그대,
그대 당신은 아름다운 사람입니다.

닳아버린 군화

닳아버린 군화를 마주하며,
오늘이 되서야 길고 큰 길을
함께 걸었던 군화의 민낯을
처음으로 마주했습니다.

닳고 닳아 해져버린 밑창의 골자기들,
톱밥, 돌먼지, 송진이 묻어 얼룩져버린 앞코,
많은 일들에 채여 깊게 흉터들이 남아버린 가죽들,
자갈밭을 거닐며 밑창 사이에 긴 작은 자갈돌,

남겨진 그 모든 얼굴을 마주할 때
나는 무슨 표정을 지어야하며,
어떤 말이 나를 마주보는

붉어진 그 모든 눈에 위로가 되어줄 수 있을까요.
닳아버린 것은 군화입니까,
아니면 불꺼진 생활관에서 숨죽여
베게에 눈물을 맞댔던 그의 청춘입니까,

알고있지만 애써 모른 채
웃음을 지어주던 그 모든 얼굴이
돌아보니 너무 슬퍼집니다.
내가 외면해왔던그 얼굴들에
이제와 미안하단 인사를 건넵니다.

꿈을 꾸지 못하는 밤

고대하던 날이 막상 눈앞에 보이니
자꾸만 의심하게 됩니다.
분명 오래전부터 바라고, 기다리고 있던 날인데
그렇게까진 기쁘지 않습니다.

그냥 하루하루가 힘들고 무겁습니다.
나 홀로 사막을 하염없이 걷는 것 같습니다.
내가 지금까지 신기루를 쫓아 달려왔던 건 아닐까라는
기분 나쁜 의심이 온몸을 휘감습니다.

그럼에도 내가 할 수 있는 일은
그저, 지금까지 걸어온 길이 신기루에 속아
걸어온 길이 아니라고 더 굳게 믿는 일뿐입니다.

자꾸만 조급하게 됩니다.
길었던 길의 끝이 이제 눈에 보여 그런 걸까요.
벚꽃이 하나둘 떨어져가는 모습을 보고도
가만히 멈춰있어야 하는 일이 고역입니다.

워낙 질투심이 많고 속이 좁아서
예쁘게 꽃놀이를 하는 친구들을 보면
그저 순수하게 응원해주기가 어렵습니다.

나도 함께 놀고 싶습니다.
따듯한 햇볕 아래서
시답지 않은 얘기나 하며 웃고 싶습니다.

그러나 갈 수 없었습니다
단단한 족쇄로 묶여 있을 땐
봄바람이 일어도 괴롭지 않았는데,

시간이 지나 낡고 해진 노끈만이 손목에 남은 채로
자리에 앉아 창문 밖만 바라보니
자꾸만 꿈을 꾸게 됩니다

또 그 꿈의 내용이 한뼘 앞이라 그런지
봄바람이 더욱 매섭게 불어오는 것만 같습니다.

또 그 꿈의 내용이 내가 빌린 꿈과 조금 달라서 그런지
꽃가루가 유독 많이 날리는 것만 같습니다.

꿈을 꿀 수 있다는 것이
얼마나 잔인한 일인지 이제 알았습니다.

제가 꾼 꿈을 도대체 얼마로
갚아야 하는 지, 감도 잡히지 않습니다.
빌린 꿈의 이자가 무서워 꿈을 꾸지 못하는 밤이
내게 찾아올까 두렵습니다.

꽃샘

언제나 따사한 봄이던 네가
추위를 머금고 있는 봄이 되었다

너무 많은 걸 생각하려 했기에
너무 많은 걸 놓쳐버린 걸지도 모르겠다

하지 말아야 할 말을 난 너에게 해버렸고
해야 할 말을 난 너에게 하지 못했다

언제나 따사할 봄이었을 네가
추위를 머금고 있는 봄이 되었다

눈꽃

내가 사랑했던 꽃봉오리는
따스한 봄을 피워내지 못하고
유독 차가웠던 그해 겨울의
기억만을 가지고 아직 못다 핀 꽃잎으로
자신을 감싼 채 얼어붙었다

평행선

너와 같은 풍경을 바라보고 싶다
한 번 만나고 영원히 지나쳐버리는,
교차선을 달리는 별보다

만나지 못하더라도
너와 같은 풍경을 영원히 바라볼 수 있는
평행선을 달리는 별이 되고 싶다

연보라

겨울의 한 가운데에서
너는 연보라빛을 내고 있었다
진한 꽃향기가 날 것 같던 모습과는 달리
너에게선 오렌지 향기가 풍겨왔다

네 손길은 너무 따스하고
부드러워서 잊기 힘들었다

너와 함께하던
겨울 봄 여름 가을
다시 겨울

눈을 감으면 어디선가 오렌지 향기가 나고
손을 내밀면 부드러운 손길이 나를 잡았다

잊기도 싫고, 잃기도 싫어서
눈을 감고 아직 잡고 있다

시차

네가 떠나간 그 자리에 와서야
네가 보고 있던 풍경을 보게 되었다

남들보다 한 걸음 빠른 너와
남들보다 한 걸은 늦는 나
미리 알았더라면, 함께 아팠더라면

두 발자국 늦은 곳에서
그제야 난 네가 지나간 발걸음을
따라가기 시작한다.

파도

파도가 밀려와 모래성을 부수듯
나에게도 넌 그런 사람이었다
크게 밀려와 크게 흔들어놓고
아무 일도 없던 것처럼 빠르게 돌아가버린
나에게 넌 그런 사람이었다

첫말, 끝말

끝말은 안녕이었다
첫말도 분명 안녕이었다
잘 모르겠다

안녕

발아

민들레가 바람에 날아가
싹을 틔우듯
너도 내게 가볍게 날아와
툭 하며 터지며 싹을 틔웠다
작은 새싹 하나에 온종일 신경이 쓰인다
하지만 기분이 썩 나쁘지 않았다

사람

내 삶에
끼어들어온 아이가
내 삶을 벌려 내 사람이 되어
내 옆에 남아있었다

불완전하기에

너와 내가 그렇듯
우리는 완전하지 못하다

둘이 합쳐 하나가 되지도 못한다
어딘가가 항상 조금씩
이따금은 조금 많이 모자라다

빈 곳이 있어야 물이 흐르듯
채울 곳이 있어야 바람이 일 듯

불완전하기에
서로에게 흘러가며 불어간다
서로를 채워가며 또 비워간다

봄 끝

끝나지 않을 것 같던 봄
서투른 마무리
무덤덤한 마음, 이유 모를 떨림
초조함, 되돌릴 수 있을 거란 착각
애써 지은 웃음

포물선

초연하다, 무덤덤하다
방황하며 길을 헤매지도 않는다
무언가를 두려워하지도 않으며
고민 속에서 고통을 느끼지도 않는다

그저 관성에 따라
포물선을 그리며 나아간다
언젠가는 기울어질 선을 따라

뒤에 숨어 웃는 너를 지켜보기도
앞에 나와 굳은 너를 마주치는 것도
무섭다

그저 시간을 따라
모양을 바꾸며 흘러가고 싶다
언젠가 기울어질 선을 따라

2부

낮과 밤을 칠한 생각

색을 머금은 무채색

솟아나 물들어 떨어질 때
나는 떠나게 되었다
열매들이 몇 번이나 여물어
그들의 색을 다하고 있을 때
나는 점점 무채색으로 가라앉으며
별이 없는 밤 속에서
하염없이 별을 세고 있었다

가면

가짜로 만든 가면 안에 살았다
그 가면은 속이 드러나지 않도록,
숨막히도록 철저히 속을 감추었다
그러나 맘에 드는 방부제는 없었다

가짜로 만든 가면 안
결국, 그 속으로 숨은 나는
살아있기에 썩어가기 마련이다

그러나 감춘다
썩어감을 알고 있음에도
그냥 덮어놓을 수 밖에 없었다

연필

뾰족하고 날카로울 수록
빠르게 닳아 무뎌진다

뾰족하고 날카로울 수록
조금만 힘을 줘도 뚝 부러진다
완전히 닳아버리기도 전에,

다시 써 내려가기 위해선
다시 날카롭게 깎아내야한다

누구나 알고 있다
계속 깎아내다 보면
마지막에는 눈에 띄게
짧고 작아진다는 것을

이미 많이 닳았다
여기서 더 작아지기엔 지쳐버려서
그냥 뭉툭하게 살고 싶다, 부러지지 않게

이미 많이 뭉툭해져 버렸다

누르고 눌러도 부러지지 않을 정도로
그러나 누르고 눌러도 무언가를 뚫고
나가지 못할 정도로

바램

우리가 함께 그렸던 그림은
너무나 예쁜 그림이었어

웃으며 널 추억하며 지우려 해도
흐르는 눈물에
우리가 함께 그렸던 그림마저도 울었어

애써 등 돌린 채
그저 시간의 색이 흘러 너와 함께 했던
시간의 색이 바래가기를 기다릴 뿐

바램, 그냥 그게 내 하나의 바람이야

수정

네 이름을 연필로
적었더라면
쉽게 지울 수 있었을까

네게 써 내려간
네 자국이
아직 깊게 남아
애꿎은 종이만 슬피 울고 있다

쉬운 말

너에겐 쉬웠으려나
그 말을 꺼내기 전까지
쉽지 않은 선택이었기를 바라

그 말을 꺼내기 전 나를 부르는 이름에
나는 마지막까지 아무것도 모르고
웃으며 대답했지만
너는 이미 연습하고
전부 준비한 채 내게 말했었잖아

너에겐
끝나버린 마침표겠지만
나에겐
끝내기 싫어 미뤄 찍어둔 반점이었어

나에겐 쉽지 않았어
너에겐 쉬웠으려나

시든 꽃에 물을 주듯

시든 꽃에 물을 주듯
나는 이미 떠나간 꽃의 시체에
때늦은 물을 대고 있다
나의 때늦은 물은 떠나간 꽃의 시체 위에
꽃 대신 곰팡이를 피워낸다
사랑했던 꽃의 시체가 잠든 자리에서도
언젠가 새로운 꽃들이 피어날 것이다
하지만 피어날 꽃들은 네가 아니여서
나는 이미 떠나간 너를
떠나보내지 못하고 아직도 물을 대고 있다
시든 꽃에 물을 주듯

못다 핀 꽃의 사랑

못다 핀 꽃의 사랑
어느 꽃이 있었다
다 피지 못하고 져버린 꽃,
그 꽃의 사랑은 열매를 맺지 못했다

하지만 그곳에 만연했던
그 꽃의 향기를 맡지 못했다고
말할 사람은 아무도 없다

분명 있었지만
남아있지 않은
못다 핀 꽃의 사랑

민들레 홀씨

내 모든 걸 가져간
죽도록 미웠던 네가
내 전부가 되어있었다

내가 사랑한 민들레 홀씨는
그 높이를 감당하기엔
너무나 작았다

꽃으로 피어나
꽃으로 졌다

이상하지도 않고
당연한 끝이었다

다시 피어나기

다시 피어나라
예뻤던 꽃아
잠깐 피고 지기엔
너의 아름다움이 너무 안타깝다

다시 피어나라
예쁠 꽃아
다시는 떨어지지 말고
언제나 그 자리에서
너를 빛내며 남아있어라

모래로 덮은 기억

그녀와 있었던 모든 시간이
안 좋은 시간으로 기억되고 싶지 않아

무거운 흙 대신
가벼운 모래로 덮어 두었습니다

가벼운 모래는 가끔 바람에 날려서
예뻤던 시간이 틈 사이로
자꾸만 새어 나와 조금은 아픈 듯 싶습니다

봄, 나열

꽃가루, 오월
봄에 내리는 눈,
땅에서 하늘로 떨어지는,
하늘의 사랑에 보답하는,
땅의 결실, 바람에
흩날려 어디든 향할 수 있는,
자유, 기분 좋은 햇살,
오월, 어느 날

들여쓰기

너로 끝났던 스무 살
너로 가득 찼던 스물한 살
너로 시작됐던 스물두 살
언제나, 과분하게 행복했어
잊지 못할 사랑을 줘서 고마워

몫

사랑한 작은 것들로
아파할지언정
사랑은 오로지
내 몫이어야만 한다

슬픈 결과를 불러오건
견디지 못하고 넘어지건
끝내 후회를 하건
사랑은 순전히
내 몫이어야만 한다

비가 오던 날

너의 사진을 보았다
멈춰있는 건 네가 아니라
또 나였다
비가 많이 오는 날
타성에 젖어
쓸데없이 왼쪽 어깨가 또 젖었다

고마워

덕분에 지는 해에
미련을 두지 않는 법을 배우게 되고

내 곁을 지나가는 수많은 푸름에
감사하는 법을 알게 되고

저물어가는 노을에
노란색 추억을 담아 보내는 법을 알게 됐어

지나간 추억 속에
많이 웃고 있던 나를 돌아보니
왠지 모를 웃음에

고마워, 덕분에, 많이

쉬이 떠나

시간이 지나고
네가 많이 잊혔을 때

하나 물어보고 싶었어
너는 내 상황이 미웠던 건지
아니면 내가 미웠던 건지

하루하루 나를 탓하며 살았어
그게 더 편했으니까
나는 아무것도 할 수 없었으니까
그저 숨죽여 초침의 심장박동을 듣는 게 다였으니까
널 탓하며 살면
내 스물한 살도 함께 빛이 바랠 테니까

네가 항상 있던 사계절을 지나
이젠 네가 없는 사계절을 거의 다 지나왔어
나는 네가 밉지 않아
내가 얼마나 힘들었던, 울었든
네 잘못은 하나 없었으니까

이제 네가 밉지 않아
아니, 미워하지 않으면 좋겠어
내가 사랑했던 시간을 내가 미워하게 될까 봐
이제 쉬이 떠나

3부

남아있지만 아프지 않은 상처처럼

남아있지만 아프지 않은 상처처럼

시간이 꽤 지났어
이제 애써 들춰보지 않으면
더 이상 아프지 않게 됐어

익숙했던 편안함이 그리워
상처를 만지작거리기도 했지만
새로 불어올 바람에
괜스레 설레기도 했어

아프기만 하던 상처는
이제 많이 아물었어

남아있지만 아프지 않은 흉터처럼
너를 기억하지만, 그곳에 두고 왔어

늦게 쓰는 편지

이미 엎질러진 물처럼,
돌릴 수 없는 시간처럼,
다시 돌아갈 수 없단 걸 알아도
늦게 편지를 적고 있어

가을과 겨울을 내내 울었어
네가 꿈에 안 나온 날이 없었고
너와 찍었던 사진을 지워도
영원히 사라지는 게 두려워서
지우고 되돌리기를 몇 번이고 했어
조금만 움직여도 네가 새어 나와 다시 울었어

"나중에 그때도 네가 지금 같은 마음이라면"
이라는 네 말에 나는 또 희망을 품고
애써 덮어놓은 채 억지로 웃었어

달렸어, 숨이 벅차 쓰러지기 전까지
예쁜 소설의 기승전결 위에
내가 서 있는 기라고 생각했어
이 슬픔이 언젠가 행복한 미래를 더 빛내줄 거라고

믿었어, 아니 믿을 수밖에 없었어

사람들에게도 말했어
네겐 아무런 잘못 없다고, 원망하는 건
내가 처한 상황이고, 신경 쓰지 못한 나였다고,
별 탈 없다고, 웃으며 시간을 보냈어

시간이 지나면 잊혀진다 라는 말에
화를 내며 객기를 부렸어
그런데 시간이 지날수록 겁이 나더라
어느 날 상반신이 쏠려 넘어지기 직전인 나를 봤어
내가 변하지 않게 살을 씹어가며 나를 붙잡고 있어도
결국, 나 빼고 모든 게 바뀌어 있을 것 같았어
나는 또 그대로 남겨져 있을 것 같았어

모든 게 달라졌을 거야
네가 다시 돌아온다고 해도
넌 그때 같은 미소를 지을 수 있을까
난 그때처럼 환하게 웃어 반길 수 있을까
솔직히 못 할 거야

나를 슬프게 하는 것은
네가 내 생각을 하지 않는 것 때문이 아니라
이제 내가 더 이상 네 생각에

아파하지 않는 사실 때문이야

이제 그만 아파하고 싶어
이제 그만 힘들고 싶다는 네 말을
이제야 나마 진심으로 이해할 수 있어

이해해 줘, 이해해 줘서
서서, 그 자리에서,
이제 해맑게 웃으며
계속 미뤄왔던 온점을 찍고 싶어

바람이 통하는 곳

축축하게 무거운 머리를 이끌고
시원한 초록이 불어오는 창문 틈 사이로
난 잠시 손을 뻗어 바람을 쓰다듬었다
그리고 눈을 살짝 감은 채
누워져 있는 풀을 따라 걸었다
기분 좋은 바람에
나를 놓아주었다

꽃이 피는 이유

꽃이 피는 이유가 지기 위함이 아니듯
네가 태어나 사는 이유도 죽기 위해서가 아니다
바람이 일면 바람이 불어오는 곳이 있듯
달리다 지친 날이 있으면 잠시 쉬어갈 웃는 날도 있다
서성이다 울어버린 그 자리에도
하늘은 널 비추고, 꽃은 널 향해 향을 흩뿌린다
그러니 그리운 것은 남겨둔 채 가라

꽃을 좋아하는 이유

내가 꽃을 좋아하는 이유는
단지 꽃이 예쁘고 화려해서가 아니오
내가 꽃을 좋아하는 이유는
작은 씨앗이 흙을 뚫고 올라오는 담대함
나눠 받은 사랑에 보은하듯 애써 싹을 틔우는 새싹
자신이 피어나기까지 많은 희생이 있었음을 아는 겸손
피고 지는 것을 미워하지 않고 받아드리는 처연함
꽃은 다 알고 피고 지기에
나는 꽃을 좋아하오

꽃을 꺾은 이유

내게 꽃을 꺾은 이유를 물으면
겨울이 다가와 차갑게 식어갈 꽃의 시체를
보기 힘들어 꺾었다고 하겠소

내게 꽃을 심은 이유를 물으면
겨울이 지나간 슬픈 그 하얀 도화지에
색 하나 기워넣기 위함이라 하겠소

하늘에서 땅으로 쏘아 내린 불꽃

새로운 해가 뜨는 날이었다
하늘 가장 높은 곳에서 땅으로,
작은 불꽃 하나를 쏘아 내렸다
불꽃은 자신을 밝게 빛내며 차갑게 식어갔다
땅에 사는 모든 이는
차갑게 식어가는 불꽃을 보며 저마다의 소원을 빌었다
이제 땅에서 하늘 가장 높은 곳으로,
땅의 모든 이는 작지만 빛나는 불꽃을 쏘아 올렸다

이끼꽃

너와 만났던 시간이
고스란히 맘속에 고여있었다
흘러가지 못한 시간은 미지근하게
남아 내 발을 간질인다

고여있는 시간에 젖어있던 바위틈에
우리가 오래 머물러 있던 수위를 기억하며
이끼꽃이 가득 피어있었다

축축하고 기분 나쁜 꽃
좋은 기억보단 나쁜 기억이 많아 슬펐던 꽃
만지면 나쁜 기억이 흘러갈 것만 같아 무서웠던 꽃

장례

너를 꺼내서 마주해야해
더 묻어둘 수 없기에

너에 대한 마지막이 미움이 되기 전에
이제는 놓을 수 있어야 합니다

비록 끝나버렸다지만 내가 받았던 사랑은
내게는 너무나 소중한 것이었습니다

네가 준 아픔에 아파도 했지만
그 아픔마저 덮을 정도로 소중했던 너를,
이젠 그 마지막을 놓으려고 합니다
더 묻어둘 수 없기에

한심

오늘도 똑같이 102번 버스에 몸을 싣고
작은 화면을 보며 나와 다른 세상을 잠시 열어봅니다
만화 같고 멋스러운 작은 화면 속 세상에
어울리지 않는 건 나뿐인가 싶습니다

내가 몰래 쌓은 모래성을
바다를 지나는 갈매기가 볼까 무서워
누구도 뭐라 하지 않았는데
부끄러워 내가 지은 모래성을
졸작이라 말하며 다시 부수고 있습니다

스스로가 한심하고 비참한 사실을 압니다
내 눈에도 잘 보입니다.
계속 여기에 머물러 있는 것 같아
결국 여기에만 머물러 있을 것 같아
조급하기만 합니다.
힘들고 지친 겨울이 찾아온 것만 같습니다.

금빙 봄이 찾아오셨쇼, 내일의 봄 내음을 맡아도
당장 오늘의 밤이 추울까 봐 난로를 준비했습니다

추위를 많이 탄다는 말을
내가 어디선가 흘려들은 것 같아서
이 추운 겨울이 빨리 끝나기를,
손난로를 꽉 쥐고 어디론가 빌어봅니다

작은 조약돌이 머금은

햇빛을 머금은 작은 조약돌을
만지작거리다 문득 그대 생각이 났습니다

소라고둥이 이미 밀려간 바닷소리를
머금고 있듯 나도 그런가 싶습니다

내게 피어났던 가장 예쁜 것들을 모아
다음에 피어날 꽃에게 들려줄까 싶습니다

그대 생각에 밤의 모든 별을 세었고
그대 생각으로 나의 낮을 칠했습니다

그대도 가끔 내 생각에
잠 못 이루는 밤이 있었으면 좋겠습니다

하지만 그대의 잠 못 이루는 새벽이
그리 길지 않았으면 좋겠습니다

삼시 뒤적이다 다시 기분 좋은 잠에
들었으면 좋겠습니다

봄이 온다면

봄이 온다면
그냥 하염없이 웃고 있겠소
봄이 내게 달려와 안기면
기쁨에 목놓아 하염없이 울겠소
분에 겨운 행복에 잠깐 지나갈 봄을
원 없이 마음에 담아 삼키겠소
하루에도 몇 번이나 봄을 보며
그대의 행복을 지어 삼키겠소

가을에서 뒤돌아, 봄

봄에 아름답게 꽃피웠고
여름에 그의 푸름을 뽐내던
그 나무가 서서히 사그라질 때
가을 길목에 네가 서있었다

그 나무는 그 자리에 서서
무엇을 보고 무엇을 먹었는가,
무엇을 듣고 무엇을 삼켰는가,

그 뒤에 다가올 슬픔에,
그리고 그 앞을 스쳐 간 수많은 행복에
그 자리에서 있던 넌 울었는가, 웃었는가

망설임

높은 곳에 올라
더 넓은 곳을 볼 기회가 왔음에도
나는 또 망설이고 있네요

떠나버린 것들이 아까워
되찾지 못할 것들을 다시금 바람에
날려버리고 있습니다

망설이고 싶지 않았는데
난 항상 망설이면 안되는 순간에
또 망설이고 마네요

그렇다고 떠나간 것들이
다시 돌아오는 것도 아닌데
그렇다고 떠나갈 것들이
떠나지 않을 것도 아닌데

불어보낸 꿈

어린아이가 물통에
가득 담아온 비눗물로
비눗방울을 하늘로 불어보냅니다

노인이 주머니 속
잔뜩 구겨진 담배에 꽃을 붙여
담배연기를 하늘로 불어보냅니다

아이는 꿈을 다 적지 못함을 후회하였고
노인은 꿈을 적어보지 못했음을 후회하였습니다

모든 것이 다르던 노인과 아이는
서로 다르지 않은 것을 하늘로 불어보냈습니다

자기연민

청년은 쉽사리 거울 속
살아숨쉬는 모습을 바라볼 수 없었다

청년은 스스로를 가여워하며
청춘의 달력을 한탄으로 채워만 갔다
스스로 불쌍히 여기면 제자리에 멈춰있어도
빛이 물길을 따라 빛나듯
아무도 뭐라 하지 않았기에

청년은 거짓으로 눈을 가리고
스스로를 좀 먹고 있었다

청년은 쉽사리 거울 속
병들어가는 자신의 모습을 바라볼 수 없었다

다 알고 있음에도
덮어둘 수 밖에 없었기에

4부

작게 나있던 오래된 틈새

징용

노인은 무엇을 꾸었을까
지긋이 주름진 청바지를 이끌고
노인은 무엇을 갚으려 했을까
개나리꽃이 만개하였던
그의 젊은 날 꾸었던
한 청춘의 청사진은
한 장의 군사우편에
그 청춘의 회중시계 끝을 가리키고 있었다

월남에서

그 노인은 무엇이 부끄러워
그 자리에서 울고 있었는가
입에 꼬나문 담배연기로 하늘을 칠하며
노인은 무엇을 그리도 숨기고 싶었는가

그 노인은 무엇이 그리도 부끄러워
단칸방에 딸린 작은 화장실에서
주름진 손을 수없이 비누칠하고 있는가
노인은 무엇을 그리도 지우고 싶었는가

무엇이 깨끗하던 노인의 물통에
이끼가 꽃피게 하였는가
노인은 무엇을 그리 슬프고 부끄러워 하였는가

진흙에 숨이 막혀 죽은 꽃

꽃이 진흙에 숨이 막혀 죽었다
진흙 속에서도 예쁜 꽃을 피워낼 꽃봉오리들
누가 그 진흙 속에 꽃씨를 뿌렸는가

진흙이 아닌 더 좋은 땅이었더라면
더 예쁜 꽃을 피워냈을 꽃봉오리들
누가 그 꽃봉오리를 진흙 속으로 밀어 넣었는가

진흙 속에서도 흔들림 없이 피던 꽃들
그가 흔들리지 않고 피어났던 이유는 무엇인가

그 작은 꽃봉오리는 어떤 신을 믿었기에
그 진흙 속에서도 흔들리지 않았는가

신은 왜 그 작던 꽃봉오리를 데려갔는가
그곳으로 데려가 시키실 일이 있었던가

진흙에서 피어나 굳세게 견디던,
결국 그 진흙에 숨이 막혀 죽어간
그 꽃봉오리의 억울함은 누가 피워낼 것인가

미뤄둔 울음

북받쳐 올라오는 울음을 잠시 담아
잠시 뒤로 미뤄두고자 합니다

지금 울기엔 내가 짊어지고 있는 짐이 많아
지금 울기엔 보고 있는 사람이 많아
괜스레 웃어보입니다

원채 웃지 않던 사람이라
어떻게 무너져야 할지 몰라
또 어디까지 무너질지 몰라
조금만 더 잠시 울음 뒤로 미뤄두고자 합니다

나의 장례식

오늘 나의 사진 앞에
국화꽃 한 송이를 놓았습니다

눈물도 쉽사리 흘릴 수 없던,
수없이 터진 물집 자국으로 얼룩진
나의 군화를 벗겨 국화 옆에 두었습니다

이곳에서 피워냈던 꽃 또한
세상 다시 없을 예쁨을 비추고 있지만
너무 예쁘게 핀 꽃이 슬퍼서

꽃 위로 흙을 덮어주었습니다
아름다웠지만 너무 슬픈 꽃 위로
그저 해맑기만한 꽃이 피어나기를 기도하며

지나가버린 나의 무덤에
국화꽃 한 송이를 놓았습니다

새장

때론 아무것도 볼 수 없는
장님이 부러웠습니다
볼 수조차 없었더라면
꿈꿀 엄두조차 못냈을텐데

꽃의 향기가닿지 못하는 곳에서
하루하루 떨어져가는 꽃잎을 보는 일이
여간 고역이 아닙니다

차라리 나를 차갑고 어두운 미로에
가둬주었으면 좋으련만
왜 그대는 나를 새장에 두어
왜 내가 꿈꿀 수 있게 하였습니까

어쩌다 손끝에 닿은 꽃잎의 온기에
잠시 가슴 설레기도 하였건만
다시 닿은 허공이 차가워
나는 다시 눈을 감았습니다

해가 밝게 뜬 날

해가 밝게 뜬 날
오랜만에 거리를 거닐었다
바람이 살랑 불어오고
작은 풀꽃들이 정강이를 살짝살짝 스치며
시냇물 흐르는 소리, 산 속 멧비둘기 소리가
내가 잊고 있던 것을 들려준다

불꺼진 밤에 찾아오는 꿈들이 두려워
베게 속에 얼굴을 파묻고, 별을 등지고 누워
지나온 발자국만을 바라보며
해야할 많은 걸 잊었다.

밤이 가고 해가 뜨고 나서야
잊고 미뤄놨던 일을
다시금 시작하니 힘이 들어도
다시 웃을 수 있음에 감사하다

많이 남은 편지지

편지를 쓸 사람이 없지만
편지지가 많이 남아 작은 생각을
남은 종이에 적어봅니다.

꼭 행복하길 바랍니다.
그대가 가끔 불어오는 내 생각에
잠시 시려 하기를 바라도,
얼른 따듯한 외투를 꺼내 입었으면 좋겠습니다.

지금까지 너무 볼품없고
찌질한 모습을 보여 미안합니다.
예뻤던 그 시간의 색이 바래지는 건 괜찮아도
나쁜 기억으로 얼룩지는 건 속상해서
나도 어서 예쁜 옷을 꺼내 입어볼까 합니다.

가을을 떠나 다시 가을로 돌아온 지난 시간 동안
그대가 무슨 일이든 열심히 했었으면 좋겠습니다.
무슨 일이든 최선을 다하고
온 힘을 쓰아 이루던 낭신의 모습이
내가 가장 좋아했던 모습이었습니다.

꼭 그대도 작은 새싹이 당신의 온 사랑을 받아
커다란 나무로 자라나는 순간을
마주할 수 있기를 기도합니다.

그대에게 또다시 힘든 순간이 다가와도
한 번 크게 웃으며 견뎌낼 수 있는
그런 큰 나무가 곁에 있으면 좋겠습니다.

그대의 행복을 조금 먼 곳에서,
시간이 꽤 지난 곳에서 간절히 바라봅니다.
꼭 행복하세요.

부서진 파도

잘 지내고 있었나요? 난 조금 많이 힘들었는데
미뤄둔 울음을 지금 와서 울기엔
내 손을 잡아준 너무 고마운 이들의 위로가 많아서
그냥 웃어 보이고 싶습니다.

또 내가 속이 너무 좁아 언젠가 만나는 날
내가 웃어보이지 못해도 꼭 이해해 주세요

최선을 다해 웃으며 흘려보낼 테니
그대도 작은 미소로 말없이
그대로 날 흘려보내주세요

멀어져 가는 파도를 손으로 붙잡아놓을 수 없듯
내 손에 닿아 부서진 파도를
만져본 것만으로도 족합니다.

그대가 꼭 웃고 있었으면 좋겠습니다.
후회 없는 삶을 살고 지금도 멋진 삶이겠지만
더욱 자신을 빛내며 멋진 당신으로 살아갈 수 있기를
진심으로 기도하고 또 기도하고 있습니다

함께해 주어서 고맙습니다.
이제 부서져 돌아가는 파도에
마지막 남은 당신마저 훨훨 실어 보내려고 합니다.

못다한 인사를 건넬까 합니다

열심히 잊고 살아가다 또 문득 생각이 나겠죠?
스물 셋의 내가 아닌 시간이 지난 후
나는 당신을 어떻게 기억하고 있을까요

슬펐던 기억일까요, 즐거운 추억일까요,
아님 미안했던 미련으로 남아 기억될까요
무엇으로 남아있건 간 못다한 인사를 건넬까 합니다

반갑습니다. 이렇게 당신께
편지를 쓰는 건 정말 오랜만이네요
샤프심이 종이에 닳아
바스락거리는 소리를 저는 좋아합니다

이제 그대가 무엇을 좋아하고
무엇에 웃었는 지 어렴풋하기만 합니다

마지막 봤던 얼굴이 웃던 모습이라 그런 걸까요?
더 오랫동안 기억나 아파했던 것 같습니다
더 아파해야 잊을 수 있을 것 같단 날 기억하시나요
꽤나 많이 아파했습니다.

또 처음 느껴보는 감정이라 무슨 약을
먹어야할 지도 몰라 약도 먹지 못한 채
끙끙 앓았습니다

아픔을 숨기려고도 무던히도 노력했습니다
스스로를 좀먹고 있음을 알고 있음에도
그냥 덮어두는 것 말곤 할 수 있는 일이 없었습니다

침대에 누워 천장을 바라보면
참 많이도 묻은 당신 흔적들이
나를 잠 못 이루게 했습니다

지쳐쓰러지면 추억이 나를 괴롭힐 수 없었기에
쉴 수 없이 나를 더 가혹하게 괴롭혔습니다

그래도 항상 앞으로만 가는 시간 덕분에,
주위에 있는 많은 고마운 사람덕분에,
아직 전부 잊지는 못했지만 상처가 꽤 아물었습니다

딱쟁이가 간지러워 참지 못하고 매만지다
흉이 지기도 했지만 이제 흉이 부끄럽지 않습니다
진심을 다했기에 더 아파할 수 있었고,
많은 것을 남겨갈 수 있었습니다

부서진 햇살

내가 누군가의 쉴 곳이 됐음을 기뻐했듯
그대도 누군가의 쉴 곳이 되었다는 사실에
기뻐할 수 있는 좋은 사람이 되었으면 좋겠습니다

힘들고 지친 하루를 보내도
행복한 하루를 보내라고 함박웃음을 지으며
어린 아이에게 내일을 약속해주는 그대여

그대는 내게 분에 겨운 행복이었습니다
내가 가진 것보다 더 많이 베풀어준 그대
내가 알고 있던 것보다 더 많이 알려준 그대
그대에게 받았던 모든 이슬을 모아
행복하게 밝아올 아침에 조금 보태볼까합니다

너의 삶이 힘들어 잠시 기대 쉴 곳이 필요하다면
이젠 내가 기댈 곳이 되어줄 순 없지만
당신을 따뜻하게 안아줄 누군가가 찾아오길
또 당신이 다시 따뜻하게 그를 안아줄 수 있길
다시 밝아와 부서지는 햇살에 기도합니다

항상 끝인사가 길어지네요
꼭 끝까지 행복하세요
당신은 당신 주위의 반짝이는 모든 것들을
누릴 자격이 있는 충분한, 좋은 사람입니다

후회 없이 꿈을 꾸었다 말해요

내가 그댈 꾸었던 시간들이
당신에게도 꼭 행복한 시간으로 남아
후회 없었기를 바랍니다
그대를 좋아했던 일은
내가 가장 잘한 일들 중 하나입니다
그럼에도 부서진 시간을 주워 담아 품기엔
깨진 조각들이 너무 날카로워서,
혹여나 또 당신을 상처 입힐까 겁이 나,
내 맘을 다시 고백하기가 두렵고 망설여집니다
지난 늦여름 간절히 빌었던 내 눈물을
더운 바람이 지나가고 쌀쌀한 바람이 콧등을 스칠 때,
한 번쯤은 뒤돌아 기억해 주세요
그리고 당신도 꼭 후회 없이 꿈을 꾸었다고 말해주세요
그거면 저는 됐습니다
당신이 웃으면 저는 그저 좋습니다

의미를 더해준다는 말

의미를 더해준다는 말은 무겁고도
무척 달콤한 말이다

누군가의 이름을 불러줌으로써
또 누군가는 활짝 피어나고

기댈 누군가가 있다는 사실만으로
누군가는 목청껏 크게 울어 보일 수 있고

지켜주고 싶은 누군가가 있다는 사실만으로
누군가는 태산을 움직일 용기를 얻을 수 있다

너에게 난, 나에게 넌
우린 서로에게 어떠한 의미를 주었고
또다시 받아 어디로 움직였는가

연한 바람이 불어와
작은 풀잎의 이슬이 지고
떨어진 이슬은 차가운 흙이 품어
따듯한 태양에 손 잡혀

다시 연한 바람을 타고 올라가듯

너에게 난
뜨겁지 않고 따듯했던 사람이었다면 좋겠다
너에게 난
눈부신 사람이기보단 눈부신 햇살을 가려주는
그늘 같은 사람이었다면 좋겠다

텅 빈 공간에 아끼던 인형을 두었다
남겨진 곳에서 외로워하는 게 속상해
텅 빈 곳에 의미를 더해가 보려한다

뜨거운 여름밤은 가고 남은 건 볼품없지만

뜨거운 여름밤이 지나가고
내게 남아있던 건 무엇인지

꽤 적지 않은 날을 보내며
곁에 남아있던 것들을
그대는 아는가 모르겠습니다

초저녁부터 밤이 된 것만 같은
초조함을 그대는 알고 있습니까

불이 꺼지고 찾아올 생각들이 두려워
평소보다 목소리를 높이던
겁먹은 청춘의 발악을

긴 밤을 끝낼 해가 뜨기까지
막연한 시간을 뜬 눈으로 보내며
메말라 진이 다 빠져버린 청년의 눈가를

동이 트고 좋은 꿈을 꾼 척 해야만 했던,
머쓱한 웃음을 지어 보인

슬픈 청년의 입가를

다시 찾아온 봄에도
떨어지는 예쁜 벚꽃잎을
애써 눈 돌리던 청년의 몸부림을

찢어지고 하얗게 불타
잔인한 여름을 탓하던
청년의 마음을

그대는 아는가 모르겠습니다

나를 사랑했던 사람아

나를 사랑했던 사람아
너를 사랑했던 사람아
남겨진 그 모든 것을 사랑했던 사람아
행복한 삶을 살아갈 너를 사랑할 사람아
고된 시간의 짐을 이젠 내가 모두 짊어질 테니
그저 웃으며 너를 사랑하고,
네 주위에 함께하는 모든 것을
사랑하고 또 사랑해라
너를 사랑했던 사람아
나를 사랑했던 사람아

내가 사랑했던 모든 것들은
나를 눈물짓게 할 테니까

내가 사랑했던 모든 것들은
나를 눈물짓게 했습니다
하루 온종일 비가 오던
그 숲의 우기가 끝이 나면

내가 흘린 눈물이
내가 사랑했던 모든 것들 사이로
스며들 수 있을까요

별이 떨어진 곳을 향해
철없이 달릴 수 있었던 그때처럼
구름이 묶어갈 곳을 향해
웃으며 달릴 수 있었던 그때처럼

어두운 밤에 갇혀있어도
그저 달에 비친 햇빛을 바라보며
좋아할 수 있었던 그때처럼

내가 눈물지었던,
사랑하는 모든 것들에게
나는 미소 지을 수 있을까요

아픈 이야기가 없어
혼자 삼켜 웃어 보이는 게 아닙니다
혹여라도 그대가 눈물지을까 봐
그대 몫까지 아파하고 싶습니다
철이 든 게 아니라
겁이 많아진 탓입니다

슬픈 날의 어느 틈새에

작게 나있던 오래된 틈새에서
우리가 자주 듣던 여름 냄새가 가득 담긴
그 노래가 흘러나오면
잔잔히 부서져가는 파도에 잔을 기울이며
서로의 행복을 위해 인사를 건네줄래요?

더운 바람이 불어오고
끈적이는 매미소리가 들려오는
그 여름밤이 다가오면
슬픈 날의 어느 틈새에서 돌아보며
서로의 아픔을 슬퍼할 손수건을 건네줄까요?

5부

솟아올라 별이 된 건 아닐까

쏟아진 꽃향기를 따라

쏟아진 꽃향기를 따라 걷다 보니
내가 여기 피어있었음을 기억합니다

여름이 꺾여 시원한 바람이 불어올 때쯤
당신은 피어났습니까
당신의 향기가 짙던 그곳에도
겨울이 찾아와 설화를 피어났습니다

못다 한 말들이 조금씩 녹아내려
그대에게 흘러갈까 봐 마음 졸여했습니다

다시 찾아올 가을에 또 어떤 마음들이 피어나
어디로 쏟아 흘러갈지, 나는 모르기에
쏟아질 꽃향기를 따라 걸어볼까 합니다

잠시 끝

바람은 끝없이 불어 간 대도
오늘은 또 하염없이 불어갈 바람에게
찔레꽃 향기 품어 날려보내고 싶은 날입니다

여름을 한창 받아먹은 풀들은
저마다의 푸름을 자랑하고
차가운 이슬을 머금은 새까만 흙은
작은 열매를 배불리 먹이나 봅니다

좋은 하루입니다
좋은 향을 품은 바람이
따스한 제 품 안에서
잠시 쉬어가라고 안아주는 듯 싶습니다

여름의 끝자락에서

여름의 끝자락에서도
난 아직도 속상한 그 여름의 바지가랑이를 붙들고
여름을 못 놓고 있습니다

지나갈 장마에 어깨가 젖어도
여름이 끝나간단 사실에 웃음지을 수 있었습니다

그리 큰 위로가 필요했던 게 아니였습니다
그냥 작게나마 수고했다는 그 대답이 듣고 싶었습니다

가을의 시작에서도
난 아직도 차마 식지 못해
아직 울고 있는 태풍을 보았습니다

어떻게 평생 내 삶이 영화같을 수 있겠습니까
그저 내게 찾아온 영화같은 순간순간을 기뻐하고
또 찾아올 영화같은 그 순간을 기다려볼 뿐입니다

그리 큰 칭찬이 필요했던 게 아니였습니다
그냥 작게나마 고생했다는 그 대답이 듣고 싶었습니다

조금 더 나은 사람이 되어보려 합니다

조금 더 나은 사람이 되어보려 합니다
그대가 나를 다시 볼 그 훗날
그대가 후회하지 않게
나를 더 가꾸고 노력한다해도
똑같이 웃음 지을 수 없다해도
언젠가 마주칠 그 날이 슬픔으로만 가득차는 게 싫어
조금 더 나은 사람이 되어보려 합니다

별 하나를 더한다는 것

수많은 별이 뜬 밤에
별을 하나 더한다는 것

누구도 관심 없는 별 하나가
작은 아이가 만들어 갈
별자리의 선이 될 수 있다면
나는 구태여 별 하나를 보태보겠습니다

하나 둘 더해간 별들이
작은 아이의 눈동자와 눈 마주쳐
반짝거릴 수만 있다면
나는 구태여 별 하나를 더 보태겠습니다

빈

보이지 않고, 들리지도 않고
심지어 만질 수조차 없는 것을
굳게 믿는 일은 바보 같은 일이었을까요

보이지 않고, 들리지도 않고
만질 수도 없었기에
더 굳게 믿었어야 했을까요

있다가 없어지는 것,
빈자리는 크게 남아
또 누구를 또 얼마나 괴롭혔을까요

기다리던 곳이 남겨진 곳이 되어버린,
빈자리는 또 크게 남아
돌아올 누군가를 기다리고 있나요

아니면 그저 남겨진 채로
밀물이 들어올 바닷가에 서성거리고만 있나요

그리움에 생각해보며

아무도 찾지 않는 오래된 기차역 처마에
둥지를 짓고 살아가는 제비들은
이번 겨울이 끝나도 기차역 처마를 그리워하려나
아니면 남쪽에서 불어온 바람을 더 그리워하려나

아무도 찾지 않는 오래된 기차역 철길에
둥지를 짓고 피어난 그 민들레는
수없이 흔들리면서도 다가오는 열차에 가슴이 뛰려나
아니면 뜨겁게 달궈진 자갈밭 열기에 가슴이 뛰려나

내 삶에 그대 둥지를 틈이 우연이 아니듯
민들레가 철길을 비집고 나옴이 우연이 아닐터이다

음음 불어오는 작은 소리에 치고 돌아오는 파도에
수 백번 수 천번을 고스라히 맞고도
작은 소라고둥이 넓은 파도 소리를 품었듯

그대는 그대의 틈안에 또 무엇을 담았고
얼마나 무언가를 그리워하며 싣있는가
나는 다시 그리워하며 그리워할 수 있을까

우리 오늘 만나

우리 오늘 만나, 어제를 사랑할 테니, 내일을 사랑해 봐요. 강한 해 비추는 여름 날 그 철길도 새가 지저귀는 소릴 듣고자 귀를 기울여 휘어지듯이, 힘차게 바다 위로 뛰어오른 물고기가 다시 바다에 부딪히는 일을 두려워하지 않듯, 떠나간 사람이 뒤돌아 남겨진 자리에 보낸 것을 떠나보낸 사람이 애써 보지 않듯이, 물을 가득 안고 뜨겁게 끓어올랐던 주전자가 천천히 식어감을 그저 바라만 보고 있듯이, 햇빛이 쏟아진 종이가 시간에 바스러져 먼지가 되어 날아감을 눈으로 좇듯, 다정하고도, 용감하게, 슬픔을 마주하며, 그 슬픔도 안아도 보고, 마지막까지 행복을 빌며 바라봐 줄 수 있는, 우리 오늘 만나, 어제도 사랑했으니, 내일도 사랑해 봐요.

솟아올라 별이 된 풍선

나는 비가 조금 내려 쌀쌀했던 날의 기억을
아직도 온전히 가지고 있습니다

전화 너머로 눈시울이 붉어진 당신모습이 보였습니다
전화 너머로 애써 울음을 삼키던 당신을 보았습니다

당신의 모든 상처가 나인 것만 같아
무엇을 봐야할 지도, 무엇을 말해야할 지도 몰랐습니다

나의 모든 기쁨은 당신이었는데
그런 기쁨이 나 때문에 아파한다는
사실이 너무 아팠습니다

그래서 놓아주려했습니다
그런데 놓아주지 못했습니다
난 또 한 번 당신에게 상처가 되었습니다

남겨놓을 말이 많지만 이 말들도 상처가 될까
온점을 찍어도 봤지만 그럼에도 새어나온 마음을
풍선에 담아 파란 하늘로 날려보내봅니다

함께 찍었던 기억도 울분에 토해낸 사랑도
베게를 적시던 패배감도 상처를 덮어준 다른 이들의 어루만짐도
모두 풍선에 담아 까만 밤하늘로 날려보내봅니다

천천히 솟아올랐던 그 풍선이 별이 된 건 아닐까
싶을 정도로 아른거리던 너무 행복한 기억이었고
정말 너무나도 소중한 기억이었습니다

식어감

24년의 시작에서 내가 꾸고 있는 꿈은
멈춰있는 명사가 되었을까요.
아니면 달리고 있는 동사가 되어 굴러갈 수 있을까요.
23년은 꽃과 풀, 노래가 있어 정말 좋은 한 해였습니다.
그대도 나 없이도 좋은 하루를 좋은 추억으로
가득 채워나가 웃고 있었으면 좋겠습니다
당신께 남은 공간을 내가 채워주겠다는 그 약속을 못 지켜
미안합니다. 더 좋은 사람이 될 수 없어서 미안합니다.
오늘 그대가 써준 편지를 모두 천천히 읽어보았습니다.
내가 얼마나 부족한 사람이었나 새삼 다시 느끼게 됐습니다.
지금 와서 후회해도 늦었겠죠
다시 얼굴을 마주 한대도 저는 할 말이 없습니다.
미안합니다. 사랑합니다. 사랑했습니다.
그대를 정말 사랑했습니다.
정말 사랑했어요, 사랑해요, 사랑합니다.
사랑해요, 마지막으로 말해봅니다.
사랑했어요, 고마워요, 사랑합니다.
우리의 오늘이 그날 같을 수 없고,
그날의 우리가 오늘 같을 수 없지만
마지막으로 목놓아 불러봅니다 사랑했어요 그대
이제야 정말 놓아줄 수 있겠네요

고마워요. 3년 동안 뜨겁게 사랑하고 좋은 추억을 들고
살아갈 수 있게 해줘 고맙습니다.
2020년 12월 한겨울에 시작한 마음이 꽤 오랜 시간이 지난
2023년 12월, 한 해가 지나간 지금에 와서야 식어가나 봅니다.
언젠가 우리 다시 만날 날 있겠지만, 우리 다음에 봅시다.
감사합니다. 우리 다음에 봅시다.

6부

예쁜 꽃이 피어난 언덕으로 데려간

나를 쬐이는 햇빛

나를 쬐이는 햇빛과 다른 뜨거운 눈빛들이
여름의 후덥지근하지만 포근한 바람이 되었습니다
나도 나의 말이 누군가에게 따듯하며 포근하기도 한
그런 바람이 되어 불어갔으면 좋겠습니다

힘들어 지쳐 주저앉아버린 당신에게,
그런 당신에게 외롭게 내리는 비도
집으로 돌아오는 길이 너무 버겁게 느껴지는 오늘,
남 몰래 흘린 눈물이 가시가 되어 앞길을 막을까봐
원없이 울지도 못하는 그대에게,

난 오늘 당신이 주저앉아도 좋다는 듣기 좋은 말을
해주지는 못할 것 같습니다
대신 힘을 다해 울어보고 화내봅시다
그렇다고 집으로 가는 길이 가까워지지는 않아도,
힘들었던 기억들이 당신을 예쁜 꽃이
피어난 언덕으로 데려가 당신이 울었던 것보다
더 크게 웃게 해줄 겁니다

내 여름을 당신에게 주었습니다

내 여름을 당신에게 주었습니다
6월 점점 파랗게 익어가는 나뭇잎들을
7월 내리쬐는 햇빛을 가리던 손을
8월 신발을 축축히 젖게 하던 따뜻한 빗방울을
9월 마지막 남은 더운 바람을 불어보낸 바람을
내 여름을 당신에게 모두 주었습니다

혜성

하늘에서 떨어진 별이
빛을 다해 식어갈 때
별의 소리를 숨죽여 듣던 아이는
별의 마지막 심장 고동을 들었습니다
눈부시던 별들이, 당신을 향하던 모든 별의 식어감을
눈에 띄게 줄어든 별의 꼬리가 말해주는 듯싶습니다
별이 죽어가듯 우리도 죽어가고 있겠죠
그래도 죽어가면서 누군가 내 심장 고동을
누군가 들어주길 간절히 바랍니다

뒤돌아 저물어가는 길

동이 틀 시간이 되면
나는 이제 저 너머로 지고 있는 달의 뒤에서
새로운 낮의 떠오름을 기다리고 있겠습니다
저물어가는 나에게도 의미가 있겠지만
떠오르는 당신에게 난 더 큰 의미를 두었습니다
당신이 가장 높은 곳까지 떠오르는 걸
저물어가는 달의 뒤에선 바라볼 수 없기에
난 아직 뒤돌아 저물어가고 있습니다

테두리

당신의 테두리를 따라 걸었습니다
내 삶의 경계는 어디였을까요

당신을 사랑했음을
부정하는 것이 아닙니다

오히려 당신을 무척이나, 오래
사랑하였기에 밀어내는 까닭입니다
나는 또 정말 오래 당신을 사랑했습니다

그대에게 사랑을 배웠고
그대에게 많은 걸 담아 갔습니다
그래서 당신을 따라 걸었습니다

당신이 무너져갈 때 난 내 쪽으로 당신을 당겼고
내가 무너지려 할 때 당신은 당신 쪽으로 나를 당겼습니다
우리는 서로를 끌어당기고 안아주었습니다

너무 고마운 추억이 많아 그런 걸까요
아니면 너무 미안한 기억이 많아 그런 걸까요
나는 아직도 당신을 좋아하는 듯합니다

그래서 나, 아직 당신 떠나간 테두리를 따라 걷고 있습니다

밤산책

나는 무엇으로 살아가고 있나요
문뜩 걸어가다 든 생각입니다
가볍게 지나갈 줄 알았던 생각이
머릿속 깊게 자리 잡아 꽤 오래
나를 괴롭히는 듯싶습니다

나는 나를 좀먹으며 살고 있나요?
그렇다면 어제 내가 배꼽이 빠지도록
웃었던 까닭은 무엇입니까
나는 행복하게 살고 있나요?
그렇다면 꺼지고 켜져가는 가로등을 보며
연민을 느낀 까닭은 무엇입니까

내가 좋아하는 날씨입니다
선선한 바람이 불고, 풀벌레 소리가 들려오고
새벽에 비가 올 것 같은 냄새가 풍겨오며
지나가는 차의 불빛과 가로등의 불빛이
반딧불이처럼 춤을 추는 밤입니다

이런 밤이 찾아오면
좋아하는 노래를 하나 꺼내 듣고
흥얼거리면서 거리의 냄새를 맡으며
쭉 펼쳐지고 사람들이 없어진 거리를
나는 그저 걷습니다

진눈깨비 벚꽃

너무나도 예쁘게 피어나고
너무나도 짧게 피었다 져버리는
벚꽃과 눈꽃은 닮았다

그런데 왜 내게 피어난 벚꽃은
쉽게 녹아 사라지는 진눈깨비였을까

봄비를 맞지 못한 탓인가
따듯한 햇빛을 더 주지 못한 탓일까

왜 내 벚꽃은 진눈깨비처럼
그 사랑의 결실을 보지 못하고 녹아내려가는 지
누구에게 물어보면 좋을까

염원

파란 비누로 저기 떠있는 먹구름을 지우고 싶어요
그렇다고 깨끗하게 지워질 지는 잘 모르겠지만.
작은 낚시대로 저기 바다 아래로
저무는 노을을 건져올리고 싶어요
그렇다고 건져진 노을이
웃음 지어줄 지는 잘 모르겠지만

양동이로 저기 떨어지는 달빛을
모두 담아보고 싶어요
달빛이 양동이를 넘쳐흘러
다시 바다로 흘러가면 어쩔까요

무엇을 가져와 흘려놔야 예쁜 노을이
다시 웃음지을 수 있으며
또 얼마나 펑펑울어야 저 새까만 먹구름이
다시 새하얀 구름되어
저기 높게 자리잡은 저 산을 넘어갈 수 있을까요

모든 게 제자리를 찾아 돌아간다면
나도 웃음지으며 다시금 제자리를 찾아
돌아갈 수 있을까요

박제

흘러가야 할 시간을 억지로 붙잡았다
말라 부서져 이미 한참 전 흩어져야 했을 시간들을,
나의 욕심으로 그 속을 들어내고 빈 껍데기만을
썩지 않는 용액에 넣고 사랑에 빠지는 나의 모습을,

항상 맑은 하늘에서 사랑을 찾아보았던 당신의 눈을,
한 꺼풀 움직임도 사라진, 더 이상 나의 눈을 바라보지 않는
이미 말라 나의 모습조차 비춰볼 수 없는 생선의 눈처럼,
그동안 무엇을 위한 붙잡음이었는 지 모르겠다

영원히 썩지 않는 당신의 모습 그대로
깊은 바다 속 그 아래로 던졌다
축축하고 비릿한 바다가 끈적이고도 피곤한 나의 욕심을,
그 살과 뼈를 들추어내 가장 무거운 슬픔으로 채울 수 있길

나의 날개의 깃털을 한 겹 더 두껍게 밀랍을 칠했다
그리고 낡은 노끈으로 구름에 목을 매어 죽었다
나는 다시 메말라갔다, 나는 또 젖어감이 두려웠고
밀랍이 햇빛에 녹아내려 바다로 떨어지는 것이 두려웠다

날개에 켜켜이 쌓여가는 퀘퀘한 먼지들
당신에게 자리 잡고 피어나는 이끼들
이제 앙상해져 버린, 당신은 피어나는 것들에 의해
나는 또 죽어가는 것들에 의해 다시 부스러기로 흩어지기엔
충분했다

악몽

나의 꿈이 날개를 달고
간밤에 당신께 찾아가
당신을 상처 입힌다면
뜬 눈으로 새벽을 지세우겠습니다

꿈도 꾸지 말라는 말에
나는 꿈꿀 수 없었습니다
내게는 꿈꾸는 일도
그저 사치일 뿐인가요

당신을 꾼다는 생각도
당신의 단잠을 깨우는
악몽으로 다가올까요

당신은 내게 꿈만 같은 사람이었습니다
다시는 같은 꿈을 꿈꾸지 못함을 슬퍼했습니다
그대를 꿀 수 있다는, 그대를 꾸었다는 그 밤이
꿈만 같았습니다

정류장

이 곳은 잠시 머물다 가는 정류장입니다
그대의 머묾이 너무 길어져 목적지를 잃지 않게
이제 그만 자리에서 일어나 다시 흘러가세요

흘려보낸 시간들을 참 많이도 후회했습니다
내가 흘려보낸 시간과 생각이 가라앉아
또 누군가의 피와 살이 되어 다시 태어났겠죠

당신이 그리워하는 어제가,
버거워하던 오늘이, 두려워하던 내일이
바다로 다시 흘러갈 수 있도록 놓아주세요

내일은 어떤 별이 이 바다를 건널까요
부디 가라앉지 않길

너의 무덤

달빛으로 꽉 찬 밤에도 구태여 태양을 찾는
저기 길가에 피어난 꽃이 슬퍼져 씹어삼켰다
입에 남은 꽃잎의 쌉쓰름한 맛,
어금니에 뭉개져 꺾인 줄기의 떫은맛,
암술을 만져보지도 못하고 씹혀버린 벌레의 맛,
뿌리에 조금 묻어있던 흙의 맛,
나는 꽃에 남아있던 모든 슬픔을 음미했다

너를 내 안에 수없이 묻었으니
난 너의 무덤이 되어 살아가기로 했다
너를 생각하며 술잔을 수없이 흘려보냈다
당신을 묻은 자리를 이리저리 살피며
너의 관을 열어볼까도 수없이 생각했다
그러나 그러지 못하고 그럴 수 없었다

어디선가 죽은 사람에게 꽃을 두던 모습을 보았다
이유는 모르겠지만 다들 죽은 사람에게 꽃을 두었다
그래서 나도 오늘 꽃을 씹어삼켰다
내가 씹어삼킨 슬픈 꽃이 당신에게 닿아

당신을 오래오래 기릴 수 있도록
그래야 당신이 온전히 썩어 없어질 수 있으니까

나는 꽃에 남아있던 모든 슬픔을 씹어삼켰다
나는 네게 남아있던 모든 슬픔을 음미했다

여름의 초입

봄이 와서 꽃이 피어난 일을
그 누가 나무랄 수 있겠습니까
그저 날이 좋고 물이 닿아서 꽃잎의 얼굴이 붉어진 일을
그 누가 나무랄 수 있겠습니까
그러니 우리 피어난 꽃을 그저 예쁜 눈으로 바라봐줍시다

봄이 지나가고 이제 슬슬 땀방울이
송글송글 맺히는 여름이 오고 있나 봅니다
저기 저 눈치없는 꽃은 봄이 다 지나가고
녹음이 우거진 여름의 초입에서
이제야 제 꽃봉우리를 틔우며
따스한 햇살을 마주하고 있습니다

길게 갈 사랑이라 이토록 늦게 피었음에도 아름다운가요
더 많은 사랑을 품고 피어났기에 이토록 아름다운가요
초록으로 우거진 저 수많은 잎사귀들이
늦게 핀 꽃을 더 아름답게 비춰주고 있네요

아름답습니다, 우거진 나무 사이로,
피어나는 아름다움, 그 사이 피어난 경건함,
단순함, 믿음, 그 주위를 둘러싼 모든 것들이
아름답습니다

편안함에 이르기

질문에 잠겼다. 얼마나 깊은 질문이길래
아직도 질문에 잠겨 가라앉는가
어두운 심해의 압력이 폐를 부수듯 누를 때
그제야 답 아닌 답을 들고 바다와 하늘의 경계를 넘었다.
눈이 매웠고 폐에 가득 찬 소금물들이 호흡을 가쁘게 했다
무겁게 가라앉을 수 있는 좋은 기회였는데
삶에 얼마나 좋은 것을 남겨두었길래
답 같지도 않은 답을 들고 발버둥 쳐
다시 삶의 고통 속에서 벌을 받고 있는가

온 몸이 말라가고, 태양은 너무나 눈부셨다
팔과 다리는 원하는 곳으로 몸을 이끌지 못했고
이윽고 발버둥 칠 힘조차 잃고 말았다
눈부신 태양은 나의 눈을 불태웠고
나의 머리는 땅에 처박힌 채
저 하늘과 바다의 경계를 향하고 있었다

나는 사람의 꿈을 꾼 생선이었다
내가 바라는 이상은 내 몸에 맞지 않았다
나의 꿈은 나를 좀먹었다. 원통했다. 신이 미웠다

큰 꿈을 주었지만 너무 작은 그릇을 준 신이 미웠다.
온 몸의 힘을 쥐어 짜 튀어 올라 구름의 맛을 보았다.
하늘에서 모든 삶의 고통을 겪고, 하늘에서 죽고 싶었다
더 높게 튀어오른 만큼 더 깊게 심해 속으로 처박혔다

기울어져 버린 포물선을 따라, 다시 심해 속으로 처박히자
몸은 다시 편안해졌다. 무엇을 그리 열정적으로 울었는지도,
잠시 맛보았던 구름의 맛도 잊었다
생각은 짧아졌고 이윽고 생각을 멈추었다
우습지 않은가, 그렇게 바라고, 죽음까지 각오하며
사람으로 죽어가고 싶었던 그가
결국 생각조차 포기한 채 심해 속에 처박혀
주둥이를 벌리고 먹이만을 찾아 헤엄치는,
저 꼴.. 저 꼴이 우스웠다.
분에 넘치는 꿈을 좇는 자신의 모습에 취해
하늘을 날아가던 꿈을 꾸던 생선은
아직도 역겨운 지느러미질을 계속하며
다시 아래로, 더 깊은 아래로,
무뎌진 행복과 안도감만을 찾으며
가라앉고 있다

이유를 찾는 걸음

부지런한 새벽의 움직임 속에서
나는 이유를 찾고 있습니다
내가 더 이상 당신의 이유가 될 수 없듯이
당신은 더 이상 나의 이유가 아닙니다
그래서 나는 나를 이류로 하는 누군갈 찾아
무겁기도 하며 가볍기도 한 걸음을 떼었습니다

구름은 달을 가렸고요
하루살이는 제 운명을 아는 듯
뜨거운 백열전구에 부딪혀 바스러져 갑니다
한 여름밤 적게 입은 소년의 팔 등에 앉아
종일 굶주렸던 듯 피를 빨아가는 모기들도
가로등 아래, 서로의 머리를 쓰담아주는 저 연인들도
물소리 들리는 천변, 꼭 잡은 두 손을 놓지 않는 노부부도
물에 젖어도 신난 채 어깨동무를 하고 있는 저 아이들도
젊음을 제쳐두고 지금도 제 소명을 다하고 있는 저 청춘들도

여러 가지 이유를 긴 걸음을 걸으며 마주했습니다
그리고 이유를 찾아 걸었던 걸음을 뒤로 돌렸습니다
새삼 살아갈 이유라는 말이 우습습니다
그저 살아있기에 우리는 살아갈 텐데
그곳에서 또 각박하게 무슨 이유를 찾고 있을까요

그저 그대로 좋은 사람들이 많고
바라만 보아도 예쁜 풍경들이 많습니다
주위의 모든 것을 지어먹고 웃음 지음이
살아갈 이유가 되었습니다

에스키모가 보았던 봄

에스키모가 본 봄은 어떻게 다가왔을까요
처음 보는 봄을 그들은 어떻게 마주했을까요
활짝 핀 꽃과 날아다니는 나비를 보며
그들은 무슨 생각을 하고 어떤 표정을 지었을까요

나에게 다가온 봄을 나는 어떻게 마주했나요
오랜만에 찾아온 봄이 반가워 유난히 신나 했을까요?
꽃잎이 피고 짐이 신기해,
끝나지 않을 것 같던 겨울이 끝났단 사실이 신기해,
나는 또 웃는 표정을 하며 바람을 맞고 있을까요